さっそく読《よ》んでみよう!

鬼太郎《きたろう》は元《もと》の姿《すがた》にもどれるのか!?

【新装版】水木しげるのおばけ学校⑫
ラジコン大海獣

登《と》場《じょう》人《じん》物《ぶつ》

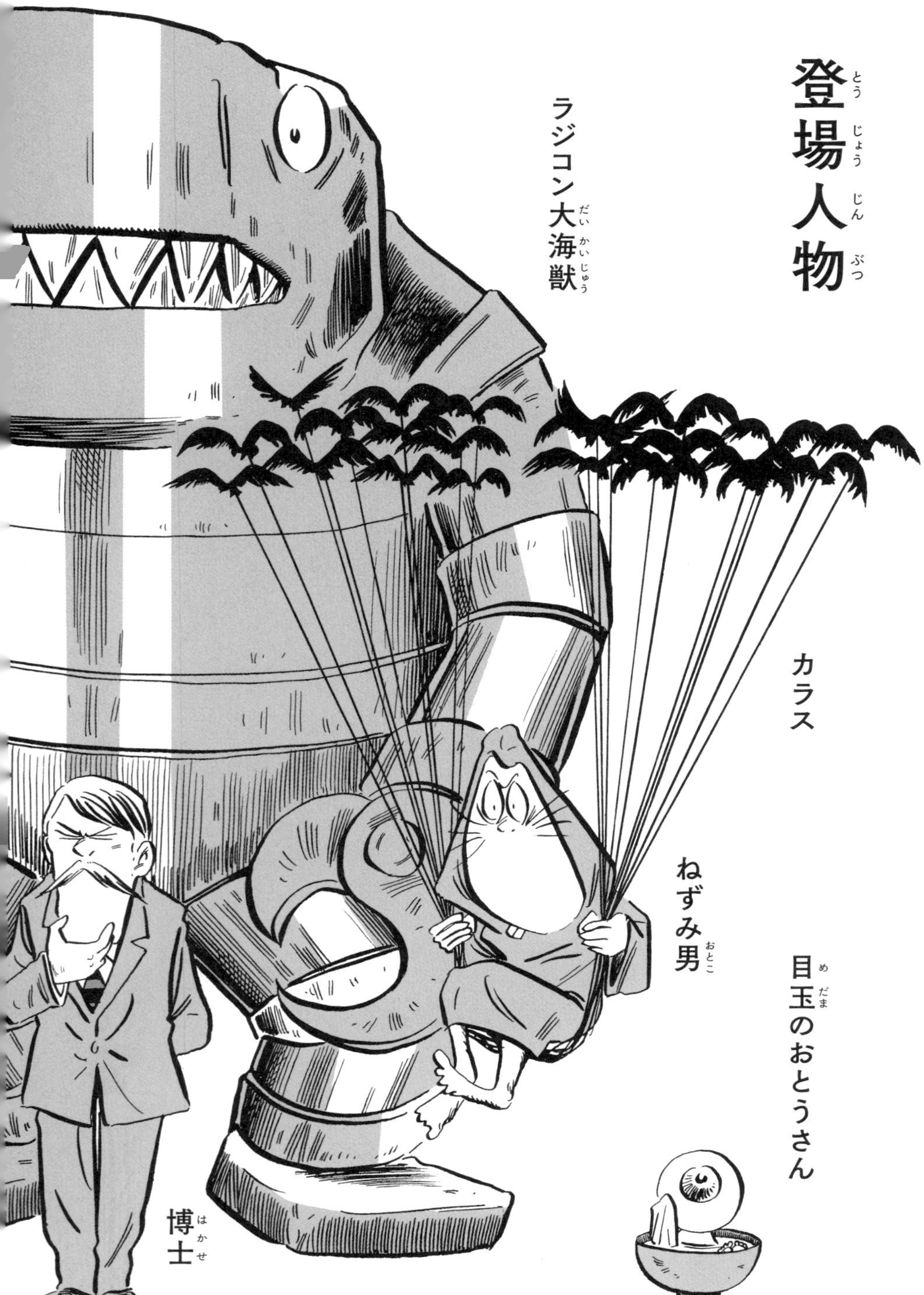

大《だい》海《かい》獣《じゅう》
鬼《き》太《た》郎《ろう》
山《やま》田《だ》秀《しゅう》一《いち》
啓《けい》子《こ》
母

ある日本人《にほんじん》の
探検家《たんけんか》が、
ニューギニアの
大湿地帯《だいしっちたい》で、
異様《いよう》な怪獣《かいじゅう》を
はっけんしました。

探検家《たんけんか》は、それを写真《しゃしん》にとって、帰《かえ》ってきました。

おおぜいの科学者《かがくしゃ》たちが、その写真《しゃしん》をしらべた結果《けっか》、怪獣《かいじゅう》の正体《しょうたい》は、三億年前《おくねんまえ》の生物《せいぶつ》で、クジラの祖先《そせん》の〝大海獣《だいかいじゅう》〟であることがわかりました。

では、なぜクジラの祖先《そせん》が、進化《しんか》もせず原型《げんけい》のままでいたのでしょうか……?

「大海獣《だいかいじゅう》が、三億年間《おくねんかん》、ずっと生《い》きながらえていたのにちがいありません。」

と、発言《はつげん》したのは、天才少年科学者《てんさいしょうねんかがくしゃ》と

言《い》われている山田秀一《やまだしゅういち》でした。

「永久《えいきゅう》に生《い》きながらえる生物《せいぶつ》がいるとすれば、それを研究《けんきゅう》することによって、われわれ人間《にんげん》も永久《えいきゅう》に生《い》きられるようになるかもしれない。」

学術会議《がくじゅつかいぎ》の議長《ぎちょう》が言《い》いました。

「もちろんですとも！それこそ人類《じんるい》のゆめです。」

山田少年《やまだしょうねん》の目《め》が、キラキラかがやきました。

さっそく、政府《せいふ》は探検隊《たんけんたい》を出《だ》して大海獣《だいかいじゅう》をしらべることにしました。

こちらは、博士《はかせ》のへや。
「博士《はかせ》！　ゲゲゲの鬼太郎《きたろう》が
隊員名簿《たいいんめいぼ》に入《はい》ってますが、
これはどういうことですか。」
天才科学者《てんさいかがくしゃ》の山田少年《やまだしょうねん》は、
鬼太郎《きたろう》の霊力《れいりき》など信《しん》じていないのです。

「山田《やまだ》くん、なにしろあいては、三億年《おくねん》も生《い》きていた、いわば妖怪《ようかい》だ。こういうものにたいしては、鬼太郎《きたろう》のふしぎな力《ちから》がひつようだと思《おも》ってね。」

「科学《かがく》こそすべてです。マンガと現実《げんじつ》をとりちがえないでください。」

「しかし、いまさら人選《じんせん》をやりなおすわけにはいかんよ。」

「では、ぼくは隊員《たいいん》をやめさせてください。」

「山田《やまだ》くん、きみの気《き》もちもわかるが、まあ、がまんしてくれ。こんどの探検《たんけん》は世界人類《せかいじんるい》のためになることだから。」

あくる日《ひ》。
「おい、ねずみ男《おとこ》！　鬼太郎《きたろう》が
ニューギニアへ、いくことに
なったぞ。」
目玉《めだま》のおとうさんは、
うれしそうです。

「鬼《き》太《た》郎《ろう》、しんぱいせずに
いってこい。るす中《ちゅう》は、
おれがおまえのおやじの
めんどうを、みておいて
やるぜ。」

「ニューギニア大海獣《だいかいじゅう》探検隊《たんけんたい》、
ただいま出発《しゅっぱつ》いたします。」
「ちょっと、まってくださーい。」
「なんだ、啓子《けいこ》じゃないか。」
かけよってきたのは、
山田《やまだ》少年《しょうねん》の妹《いもうと》の啓子《けいこ》でした。
「おにいさん。このおまもり、
もっていって。」
「ばかばかしい。この科学《かがく》の時代《じだい》に、
そんなもの、役《やく》に立《た》つと
思《おも》うのか！」

「でも……、にいさん。」

「では、ぼくがわたしてあげよう。」

山田少年《やまだしょうねん》にかわって、鬼太郎《きたろう》が
おまもりをあずかりました。

「鬼太郎《きたろう》さん、おねがいします。」

「ごしんぱいなく。」

「鬼太郎《きたろう》さんって、ほんとうに心《こころ》の
やさしい人《ひと》だわ。」

啓子《けいこ》は、ホッとしました。

飛行機《ひこうき》は、一路《いちろ》ニューギニアへとびたちました。

「山田《やまだ》くん、妹《いもうと》さんのまごころのこもったおまもりだ。うけとってあげたまえ。」

「しつこいな。きみの手《て》にふれたものなんか、うけとれるかい。」

「ごうじょうな男《おとこ》だな。そんなにいらないなら、ぼくがもらっとくぜ。」

「勝手《かって》にするがいいさ。」

やがて一行《いっこう》は、ニューギニアに到着《とうちゃく》。

何日《なんにち》もジャングルを進《すす》み、一か月後《げつご》、目的地《もくてきち》につきました。

「きょうは、ここでねることにする。山田《やまだ》くん、鬼太郎《きたろう》くん、きみたちは元気《げんき》がいいから、山《やま》の下《した》へ水《みず》くみにいってくれたまえ。」

「ちぇっ、きみとじゃ、つまんないや。」

「山田《やまだ》くん、ここまできて、ケンカはよそう。」

鬼太郎《きたろう》はたしなめましたが、山田少年《やまだしょうねん》はおもしろくありません。


そのころ、山《やま》の上《うえ》では……。

いい月夜《つきよ》でしたが、夜半《やはん》になると黒《くろ》い雲《くも》が出《で》て、なまあたたかい風《かぜ》がふきはじめました。そして……。

大《おお》きな足音《あしおと》とともに、
大海獣《だいかいじゅう》があらわれました。
「あっ、大海獣《だいかいじゅう》だ！
はやく採血器《さいけつき》をかせっ！」
隊長《たいちょう》が採血器《さいけつき》で大海獣《だいかいじゅう》の血《ち》をとった
とたん、大海獣《だいかいじゅう》があばれだしました。
「ウワ――ッ！」

いっぽう、鬼太郎《きたろう》たちは、水《みず》くみのとちゅうで、その音《おと》をきき、あわててもどってきました。

「こりゃあ、どうしたことだ。」

「おーい……。」

ガレキの中《なか》に、人《ひと》がうまっているのが見《み》えました。

「隊長《たいちょう》じゃ、ありませんか。」
「鬼《き》、鬼太郎《きたろう》くん。これを……。
これは大海獣《だいかいじゅう》の不老不死《ふろうふし》のなぞをとくための、
だいじな血《ち》だ……。これを……、
ぶじに日本《にほん》におくりとどけてくれ……。」
隊長《たいちょう》は、そう言《い》いのこして
死《し》んでしまいました。

それを見《み》ていた山田《やまだ》少年《しょうねん》。

「あの血《ち》を、ぼくひとりでもってかえれば、あらゆる名誉《めいよ》をひとりじめできる……。

おいっ、その血《ち》をおれによこせ！」

「それはこまる！　隊長《たいちょう》からたのまれたんだ。」

「それは、きみ、勝手《かって》なりくつだよ。天才科学者《てんさいかがくしゃ》のぼくがもってかえってこそ、ふさわしい。」

そのとき、現《げん》地《ち》人《じん》の襲《しゅう》撃《げき》が！

ストッ！

「アーッ！」

「しめた。鬼太郎《きたろう》のヤツ、毒矢《どくや》にあたって全身《ぜんしん》がしびれてしまっているぞ。」

山田少年《やまだしょうねん》は、ぶきみにわらって、ポケットから、なにやらくすりをとりだしました。

「ふふふ、妖怪《ようかい》には、このサラマンドラのこながよくきく……。今《いま》とどめをさしてやるぜ。」

山田少年《やまだしょうねん》は、くすりビンのふたをあけました。

毒《どく》のこなが、鬼太郎《きたろう》のきず口《ぐち》に、入《はい》っていきます。

「鬼太郎《きたろう》！　大海獣《だいかいじゅう》の血《ち》をわたすのだ！」

「うっ、ひきょうな！　おまえのゆがんだ心《こころ》がなおるまでは、この血《ち》はわたすわけにはゆかない。」

「バカやろっ！」

バシッ！

鬼太郎《きたろう》は、まったく力《ちから》が入《はい》りません。

山田少年《やまだしょうねん》は、鬼太郎《きたろう》から血《ち》をうばいとって、にげだしました。

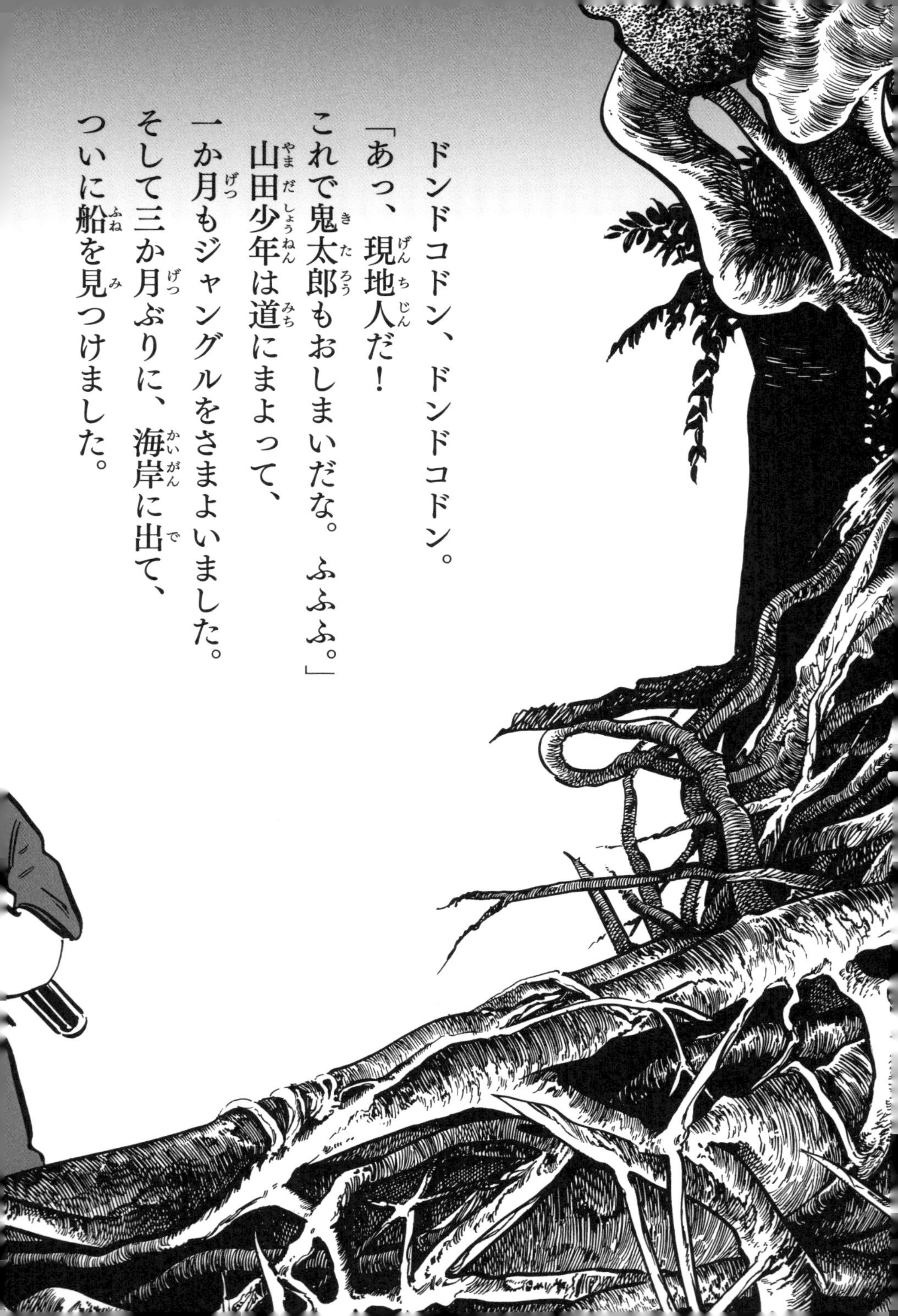

ドンドコドン、ドンドコドン。
「あっ、現地人《げんちじん》だ！
これで鬼太郎《きたろう》もおしまいだな。ふふふ。」
山田少年《やまだしょうねん》は道《みち》にまよって、
一か月《げつ》もジャングルをさまよいました。
そして三か月《げつ》ぶりに、海岸《かいがん》に出《で》て、
ついに船《ふね》を見《み》つけました。

「おーい。おれは大海獣《だいかいじゅう》の血《ち》をもっている世界的英雄《せかいてきえいゆう》だぞー。」

山田少年《やまだしょうねん》が、船《ふね》にむかって手《て》をふったときでした。

「おい、山田《やまだ》!」

「ン? だれだ?」

「わすれたか、鬼太郎《きたろう》だよ。」

「鬼太郎《きたろう》だって!?」

「そうだ。現地人《げんちじん》の毒矢《どくや》や、サラマンドラの毒《どく》のこなで、こんな顔《かお》になってしまったのだ。」

山田少年《やまだしょうねん》は、びっくりして腰《こし》をぬかしました。

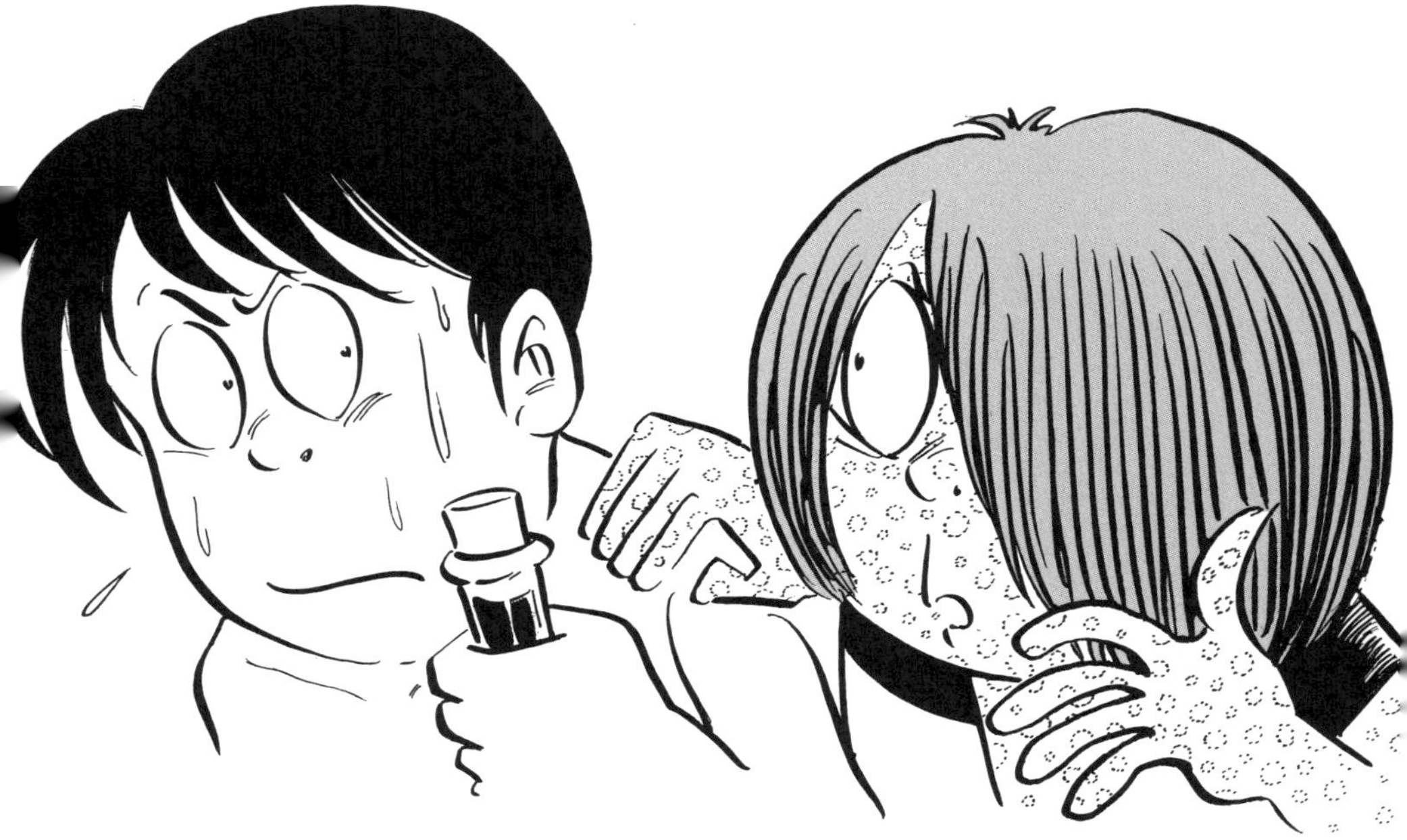

「ぼ、ぼく、ほんとうにわるかった……。この血《ち》はきみにかえすよ……。鬼太郎《きたろう》くん、ぼく反省《はんせい》しているよ。」

山田少年《やまだしょうねん》は反省《はんせい》したふりをして、鬼太郎《きたろう》の攻撃《こうげき》をおさえました。

「きみが、ほんとうに反省《はんせい》しているなら、なにも言《い》わない。」

こうしてふたりは、日本《にほん》の船《ふね》にすくわれました。

「しかし、鬼太郎《きたろう》が生《い》きていたんでは、血《ち》をひとりじめにできないばかりか、ニューギニアでやったぼくの悪事《あくじ》がみんなにばれるかもしれない。鬼太郎《きたろう》のいるかぎり、ぼくの前途《ぜんと》は暗《くら》い。サラマンドラの毒《どく》でも死《し》なないとすると、どんな毒《どく》でも、ヤツは死《し》なないだろう。そうだ、大海獣《だいかいじゅう》の血《ち》を注射《ちゅうしゃ》してみよう。ちがった血液《けつえき》を注射《ちゅうしゃ》すれば、人間《にんげん》は死《し》ぬ……。不老不死《ふろうふし》といっても、まだ研究《けんきゅう》まえのものだから、おそらくヤツも死《し》ぬだろう……。それに生体実験《せいたいじっけん》にもなる。」

山田少年《やまだしょうねん》は、自分《じぶん》の名誉《めいよ》をまもるあまり、おそろしいことを考《かんが》えました。

22

山田少年《やまだしょうねん》は、鬼太郎《きたろう》の病室《びょうしつ》をたずねました。

「鬼太郎《きたろう》、毒《どく》によくきくという薬《くすり》を見《み》つけたぞ。」

「すまないなあ。山田《やまだ》くん。」

山田少年《やまだしょうねん》は、大海獣《だいかいじゅう》の血《ち》を鬼太郎《きたろう》に注射《ちゅうしゃ》しました。

そうとはしらない鬼太郎《きたろう》。

「ううっ、ばかにいたい注射《ちゅうしゃ》だな。」

鬼太郎《きたろう》は、あまりの苦《くる》しさに、ベッドの上《うえ》をころげまわってしまいました。

「なあに、まもなくおさまるさ。」

それから二、三日《にち》して。

「なんだか、からだ中《じゅう》がおかしいぞ。」

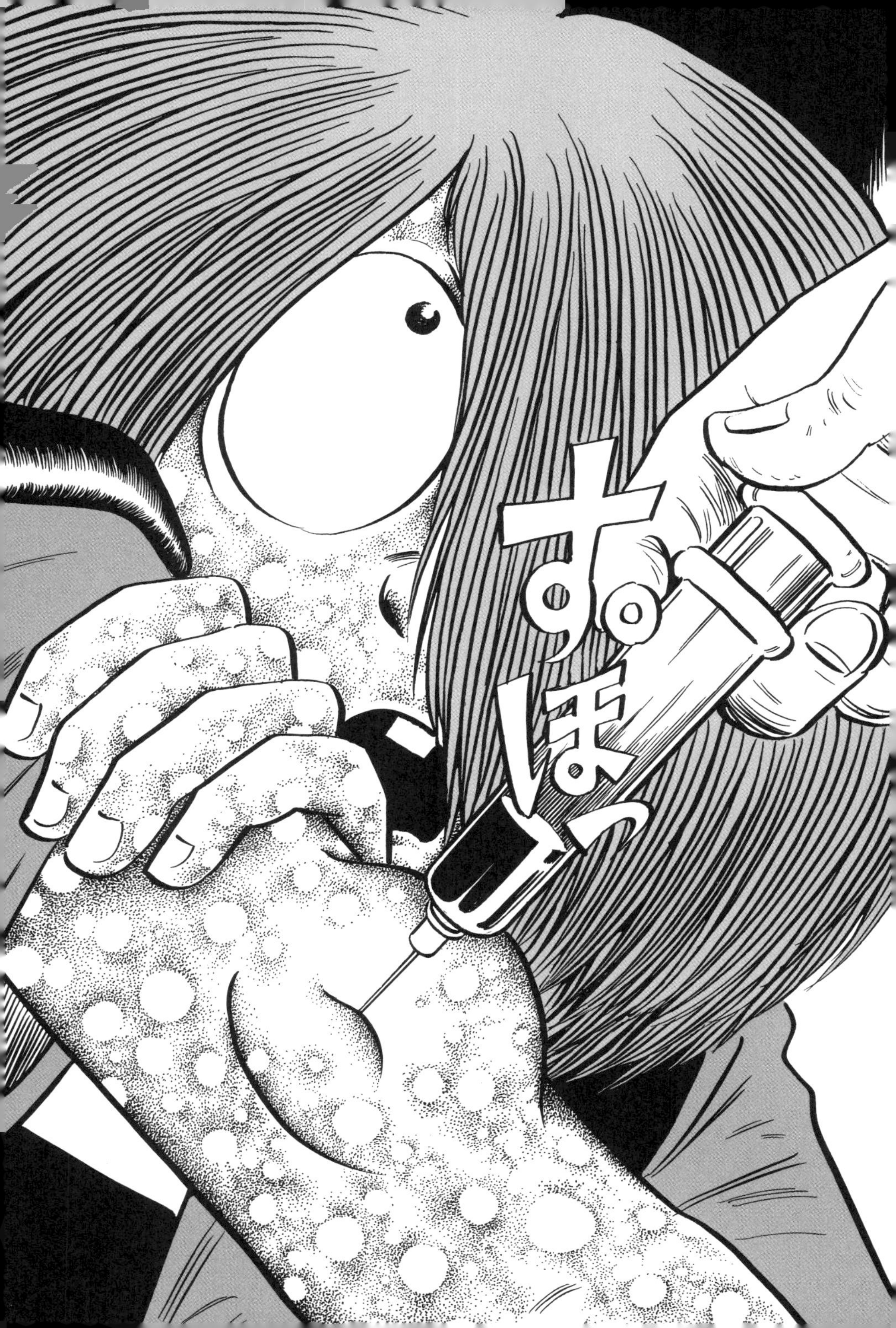
ずぼっ

22

みるみるうちに、鬼太郎《きたろう》は
大海獣《だいかいじゅう》に変身《へんしん》してしまい、
からだも船《ふね》からとびだして
しまいました。

鬼太郎《きたろう》は、自分《じぶん》のあまりのかわりようにショックをうけて、「ウォーッ」と一声《こえ》さけぶと、大《おお》きな音《おと》をたてて、海中《かいちゅう》にしずんでしまいました。

「しめた！　死《し》んでくれたか。あとは、おれが大海獣《だいかいじゅう》の血《ち》によって、名声《めいせい》と幸福《こうふく》をえればよいのだ。ははははは。」
山田少年《やまだしょうねん》の思《おも》うとおりに、ことははこんでいました。

そのころ、テレビでは、
「全員死亡《ぜんいんしぼう》したと思《おも》われていた
大海獣探検隊《だいかいじゅうたんけんたい》の山田少年《やまだしょうねん》が、大海獣《だいかいじゅう》の血《ち》を
もって、本日《ほんじつ》、横浜港《よこはまこう》に到着《とうちゃく》いたします。
横浜港《よこはまこう》には首相《しゅしょう》も、でむかえるそうです。」
と、つたえます。

「首相《しゅしょう》も、やっとぼくのえらさに
気《き》づいたようだね。」
山田《やまだ》少年《しょうねん》は、うれしさを、
かくしきれません。
しかし、このとき、横浜港《よこはまこう》の
はるか沖《おき》あいに巨大《きょだい》なものが
浮《う》きあがったのです。

「りんじニュースを
もうしあげます。
太平洋上《たいへいようじょう》に巨大《きょだい》な
海獣《かいじゅう》らしきものがあらわれ、
もうれつなスピードで
東京《とうきょう》にちかづいています。」

ザザザ

ここは、日本《にほん》学術《がくじゅつ》会議《かいぎ》大海獣《だいかいじゅう》
報告会《ほうこくかい》の会場《かいじょう》。
「ただいまの海上《かいじょう》保安庁《ほあんちょう》からの
報告《ほうこく》によりますと、クジラの五倍《ばい》も
ある大海獣《だいかいじゅう》が、観音崎《かんのんざき》に上陸《じょうりく》して、
東京《とうきょう》にむかっているそうであります。
これがその電送《でんそう》写真《しゃしん》です。」

その写真《しゃしん》は、鬼太郎《きたろう》の変身《へんしん》した
大海獣《だいかいじゅう》でした。
山田《やまだ》少年《しょうねん》は、おどろいて、
さけびました。
「みなさん、これは一日《にち》もはやく
たいじすべきものです。」
「よし、わかった！
すぐに航空《こうくう》自衛隊《じえいたい》に
れんらくしたまえ!!」

大海獣《だいかいじゅう》となった鬼太郎《きたろう》に、ジェット機《き》の攻撃《こうげき》がくわえられました。
「山田《やまだ》は英雄《えいゆう》としてむかえられ、ぼくは爆弾《ばくだん》でむかえられるとは、
ひにくだな。」

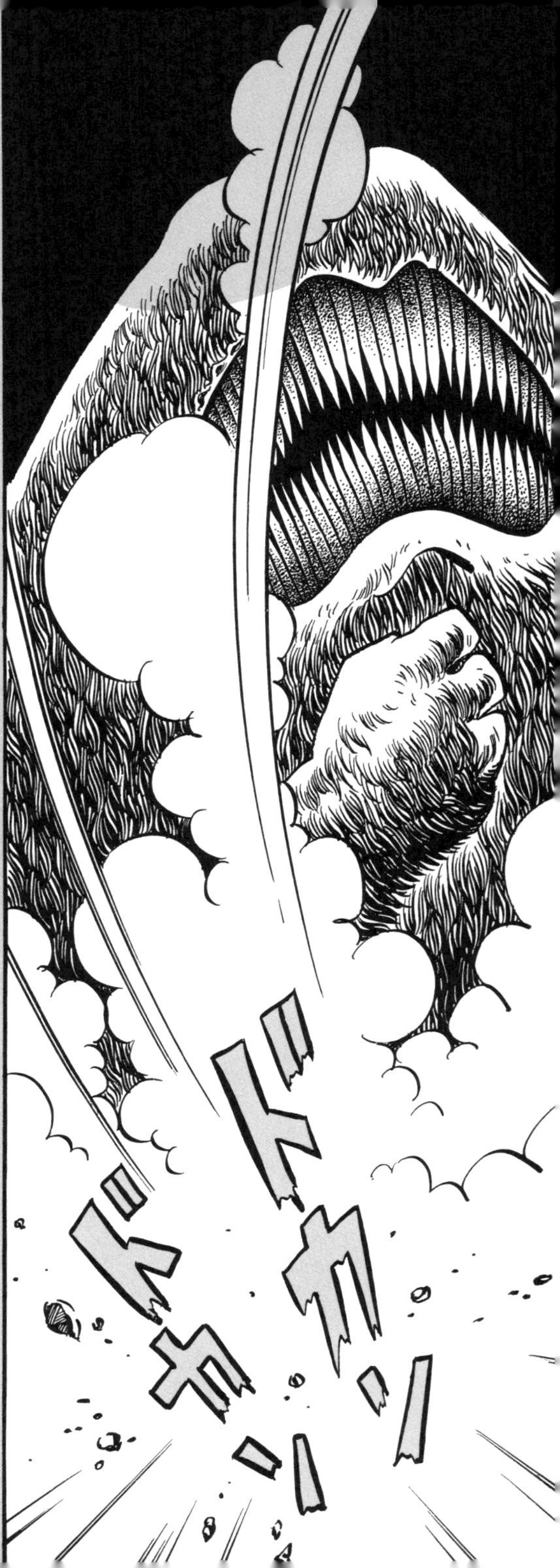

鬼太郎《きたろう》は、ケガをしないうちに、海《うみ》へにげました。
「みなさん、海獣《かいじゅう》は自衛隊《じえいたい》の力《ちから》で、
いずこともなく、消《き》えさりました。」

ここは、山田少年《やまだしょうねん》の家《いえ》。

「やっと消《き》えたな。それにしても、ほんとに、鬼太郎《きたろう》があんな巨大《きょだい》なものになれるのかな？」

「にいさん。」

「なんだ、啓子《けいこ》。」

「にいさんが、ひとりだけ生《い》きてかえれたのは、きっと、わたしのわたしたおまもりのおかげよ。」

「ぼくは、うけとってないぞ。」
「わたし、鬼太郎《きたろう》さんに
わたしたのよ。」
「鬼太郎《きたろう》が、
ちょろまかしたんだろ。」
「鬼太郎《きたろう》さんは、そんな人《ひと》じゃ
ありません！　にいさんは、
まえから鬼太郎《きたろう》さんの超能力《ちょうのうりょく》を
ねたんでたんでしょ。」
「うるさい！」

その日《ひ》は、やみ夜《よ》でした。
ふたたび、海獣《かいじゅう》はひそかに東京《とうきょう》に上陸《じょうりく》し、山《やま》田《だ》少年《しょうねん》の家《いえ》の近《ちか》くに
やってきました。
ただちに自衛隊《じえいたい》が出動《しゅつどう》。サーチライトにてらされる大海獣《だいかいじゅう》。
人《ひと》びとは大混乱《だいこんらん》。

「鬼太郎《きたろう》のヤツ、おれにふくしゅうしようとしてるのだな！

啓子《けいこ》、にげるんだ。

いきなり都心《としん》にこられては、ミサイルも、うてない。」

「あっ、ぼくの顔《かお》を見《み》つめている！」

大海獣《だいかいじゅう》は群衆《ぐんしゅう》には目《め》もくれず、山田少年《やまだしょうねん》のあとをおいかけました。

ズイ゛ン
ズイ゛ン

ウォーッ!
「たしかに、ぼくをねらっている。」
「にいさん、わたし、もう走《はし》れない。」
「もうちょっと、がんばれ。
自衛隊《じえいたい》が大砲《たいほう》をならべて
まちかまえているところまで、
おびきよせるのだ。」

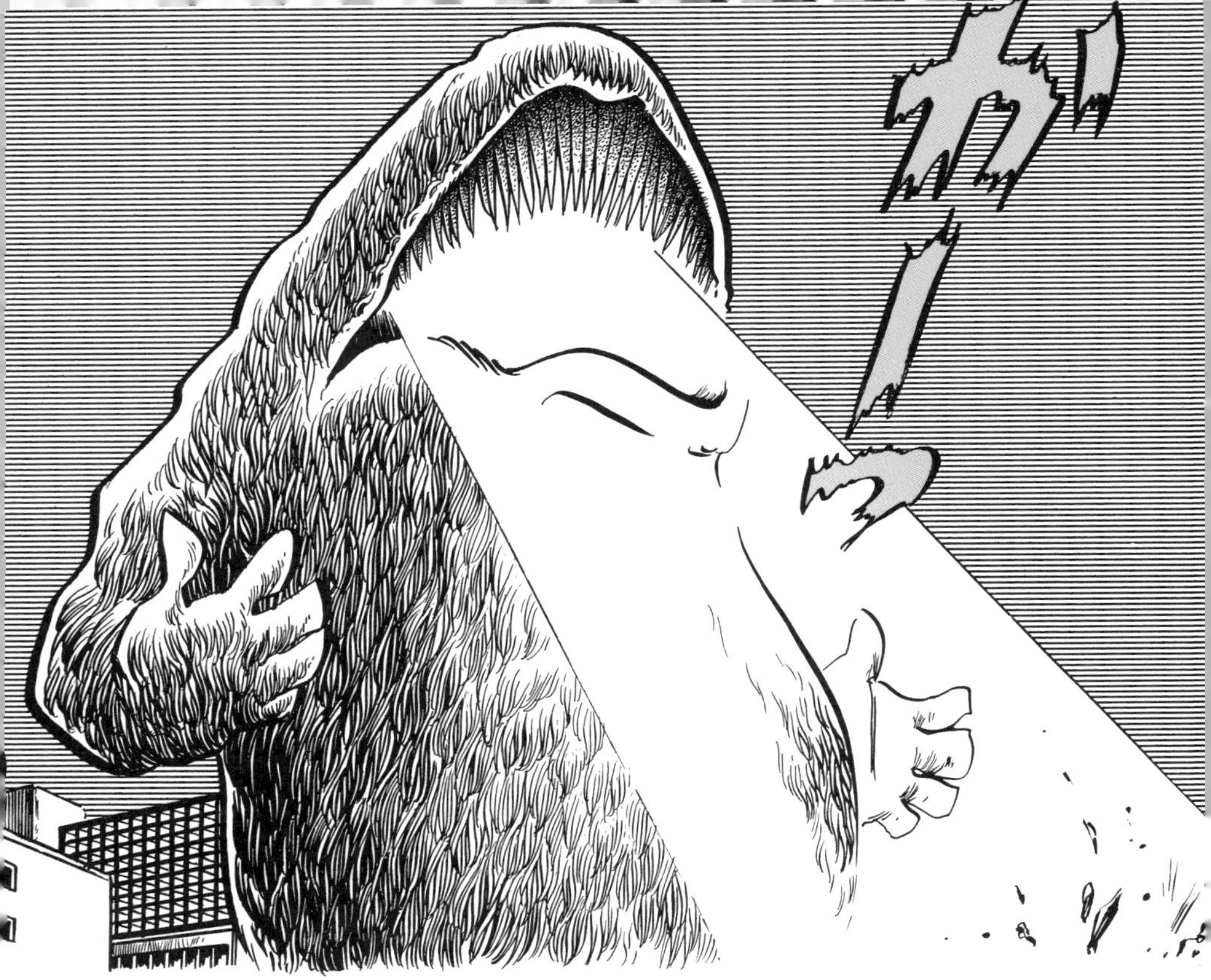

自衛隊《じえいたい》が大砲《たいほう》をうつと
同時《どうじ》に、大海獣《だいかいじゅう》は、口《くち》から
妙《みょう》な光線《こうせん》を発射《はっしゃ》。

すると、たちまち大砲《たいほう》は
毛《け》だらけになって、つかえなく
なってしまいました。
「なんという超能力《ちょうのうりょく》！」

こちらは、大海獣《だいかいじゅう》対策《たいさく》委員会《いいんかい》。

「だれか自信《じしん》のある人《ひと》に、大海獣《だいかいじゅう》たいじを、
おねがいしたいのですが。」

「委員長《いいんちょう》、ぼくにおまかせください。」

山田少年《やまだしょうねん》が、もうしでました。

「なるほど、あなたならいいでしょう。」

「しかし、二日《か》間《かん》でできるかね！」

「ぼくの頭脳《ずのう》なら、二日《か》間《かん》でじゅうぶんです。」

「だれひとり、大海獣《だいかいじゅう》がぼくだと、気《き》づいてくれない……。」

鬼太郎《きたろう》は、ゆびのあいだにはさんであったおまもりのことを、思《おも》いだしました。

「そうだ、山田《やまだ》の妹《いもうと》の啓子《けいこ》さんなら、気《き》づいてくれるだろう。そして力《ちから》になってくれるにちがいない。」

と、鬼太郎《きたろう》は、思《おも》いました。

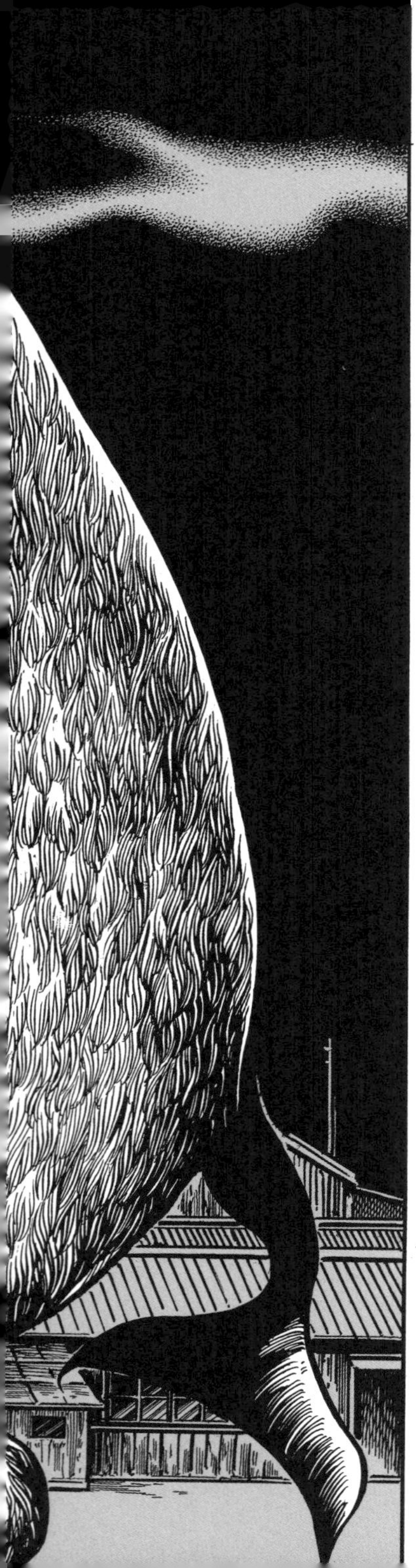

ドオ

鬼太郎《きたろう》は啓子《けいこ》のへやにちかづき、おまもりをなげいれました。
「あっ、これは、わたしが鬼太郎《きたろう》さんにわたしたおまもりよ！
すると、あの大海獣《だいかいじゅう》は鬼太郎《きたろう》さん？」
「ばか！　おなじおまもりだってあるさ。いらぬことを言《い》うな。」

山田少年《やまだしょうねん》は、ひっしで、ごまかします。

「ごまかしてもだめよ。わたし見《み》てたのよ。」

「おまえとけんかしてるばあいではない。

ぼくは学会《がっかい》のホープとしていそがしいのだ。」

山田少年《やまだしょうねん》は、あわてて出《で》ていきました。

二日間《かかん》で、山田少年《やまだしょうねん》は、大海獣《だいかいじゅう》たいじのための
ラジコン・ロボットを完成《かんせい》させました。
「なんだ、こりゃあ。
大海獣《だいかいじゅう》とよくにてるじゃないか。」
「そうです！　鉄《てつ》でおなじものを、
つくったのです。生《い》きものと鉄《てつ》の勝負《しょうぶ》です。
ラジコンでたたかわせるのです。」
「あっ、山田《やまだ》さん！
大海獣《だいかいじゅう》が、こちらにむかってきます。」
「鬼太郎《きたろう》のヤツ、感《かん》づきやがったな……。
すぐ、ラジコン大海獣《だいかいじゅう》をさしむけます。」

「ふきんの住民《じゅうみん》を
ひなんさせろ！
大格闘《だいかくとう》がはじまるぞ！」
山田少年《やまだしょうねん》は、ラジコンを
操作《そうさ》して、ロボットを
大海獣《だいかいじゅう》にむかわせました。

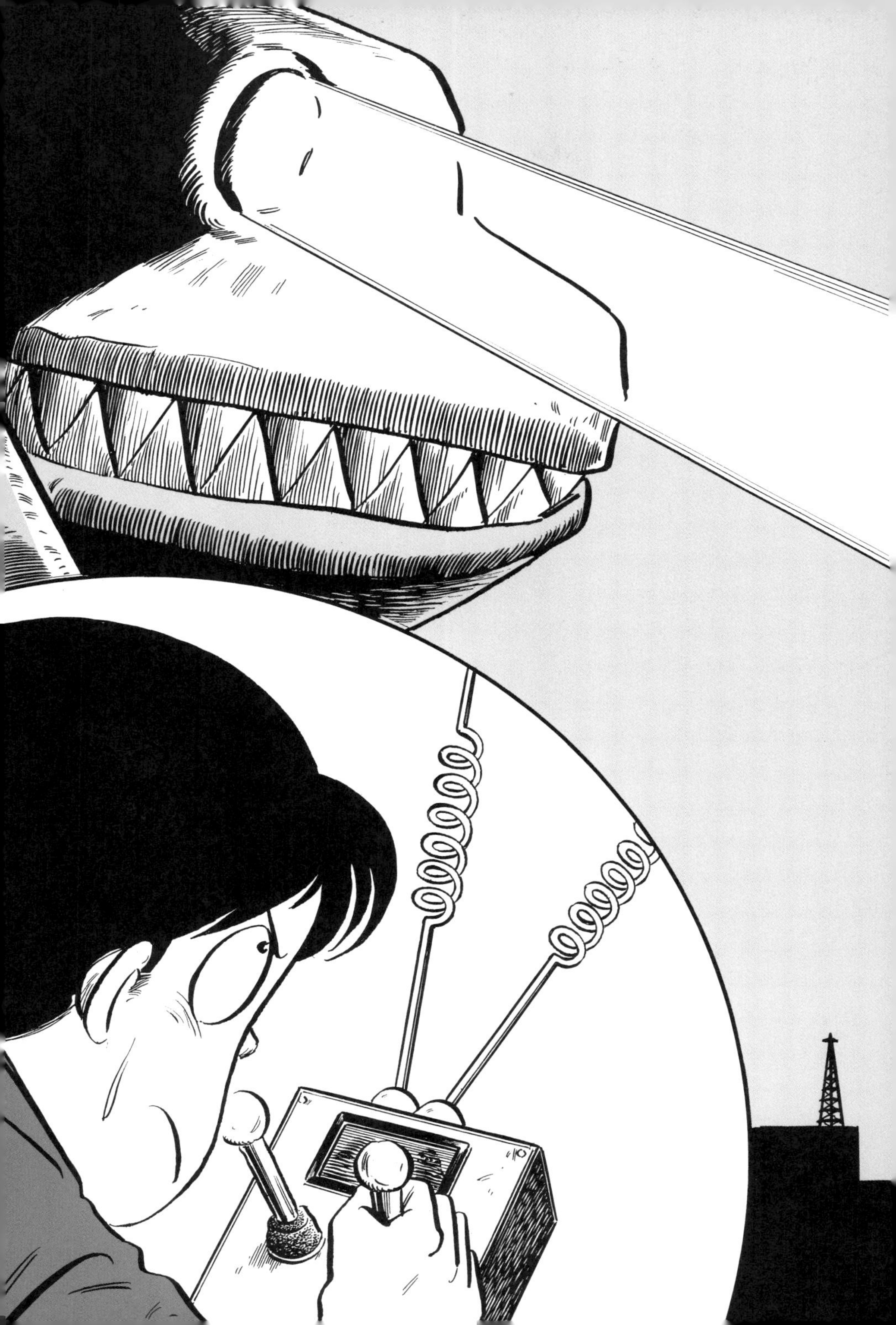

うおおおお……。
がおおおお……。
くずれるビル群《ぐん》！

「おかあさん、あぶない！」

「それどころじゃないよ！

秀一《しゅういち》が鬼太郎《きたろう》さんを……。」

「おまえたち、やめてーーっ！」

山田少年《やまだしょうねん》のおかあさんの上《うえ》に、
コンクリートの破片《はへん》がおちてきました。

「あっ！」

「あぶない！」

鬼太郎《きたろう》が、ふたりを、すくいあげました。

「あ、鬼太郎《きたろう》のヤツ。母《はは》と妹《いもうと》を人質《ひとじち》にする気《き》だな。かえせ――っ。」

ラジコン大海獣《だいかいじゅう》のからだは、大海獣《だいかいじゅう》の光線《こうせん》をくらって、毛《け》だらけになってしまいました。

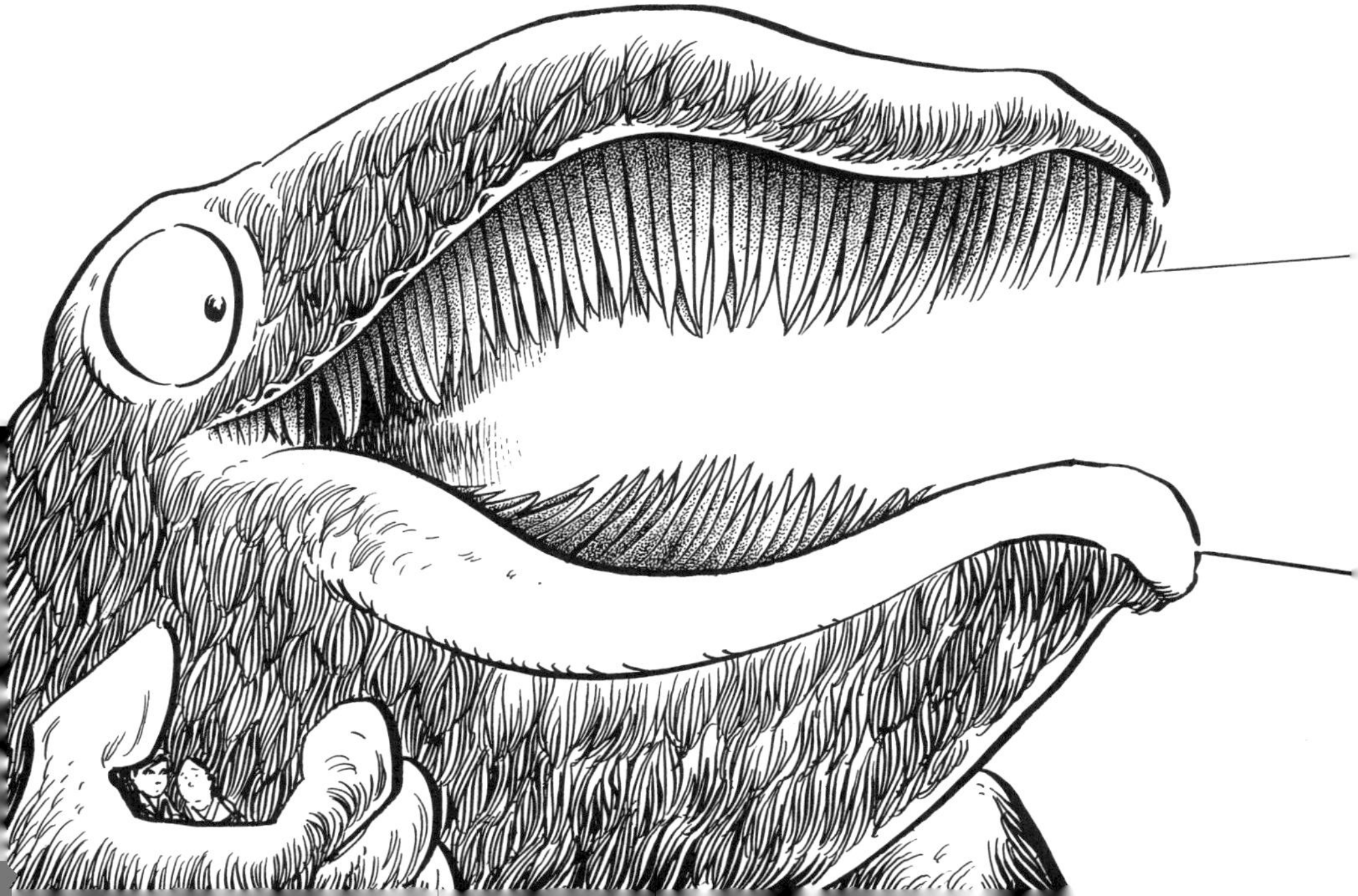

「バカめ――、こういうときのために、
ちゃんと手《て》をはさみにしてあるんだ。」
ラジコン大海獣《だいかいじゅう》は、はさみで、
ジョキジョキと毛《け》をきりました。
そのすきに、鬼太郎《きたろう》は海上《かいじょう》に無人島《むじんとう》を
見《み》つけて、のがれていきました。
「しまった！　母《はは》と妹《いもうと》がさらわれた。」

「自衛隊《じえいたい》のほうはどうかね。」

「人質《ひとじち》がいるので、攻撃《こうげき》できません。人質《ひとじち》を助《たす》けて、しかも大海獣《だいかいじゅう》をたいじできるのは、ラジコン大海獣《だいかいじゅう》しかないと思《おも》います。」

「よし、山田《やまだ》くん、もういちど出撃《しゅつげき》してください。」

「はい。」

「万一《まんいち》、山田《やまだ》くんがしっぱいしたら、どうします？」

「無人島《むじんとう》に原爆《げんばく》を投下《とうか》して、いっきにかたづけなければなるまい。」

「ふたりの人質《ひとじち》は、どうなるのです？」

「何《なん》千万という人間《にんげん》の命《いのち》にはかえられない。大海獣《だいかいじゅう》とともに、あの島《しま》で死《し》んでもらうのだ。」

「やはり、ぼくの生《い》きる道《みち》は、鬼太郎《きたろう》をころすことしかない。よし、こんどは鉄《てつ》の大海獣《だいかいじゅう》に、ちょくせつのりこんで、操縦《そうじゅう》しよう！」

山《やま》田《だ》少年《しょうねん》ののったロボット
大《だい》海《かい》獣《じゅう》と、それをむかえうつ
鬼《き》太《た》郎《ろう》。
「あっ、おかあさん！
ふたりが海《うみ》の底《そこ》に……！」
海《かい》中《ちゅう》では、
鬼《き》太《た》郎《ろう》のほうが
うわてでした。

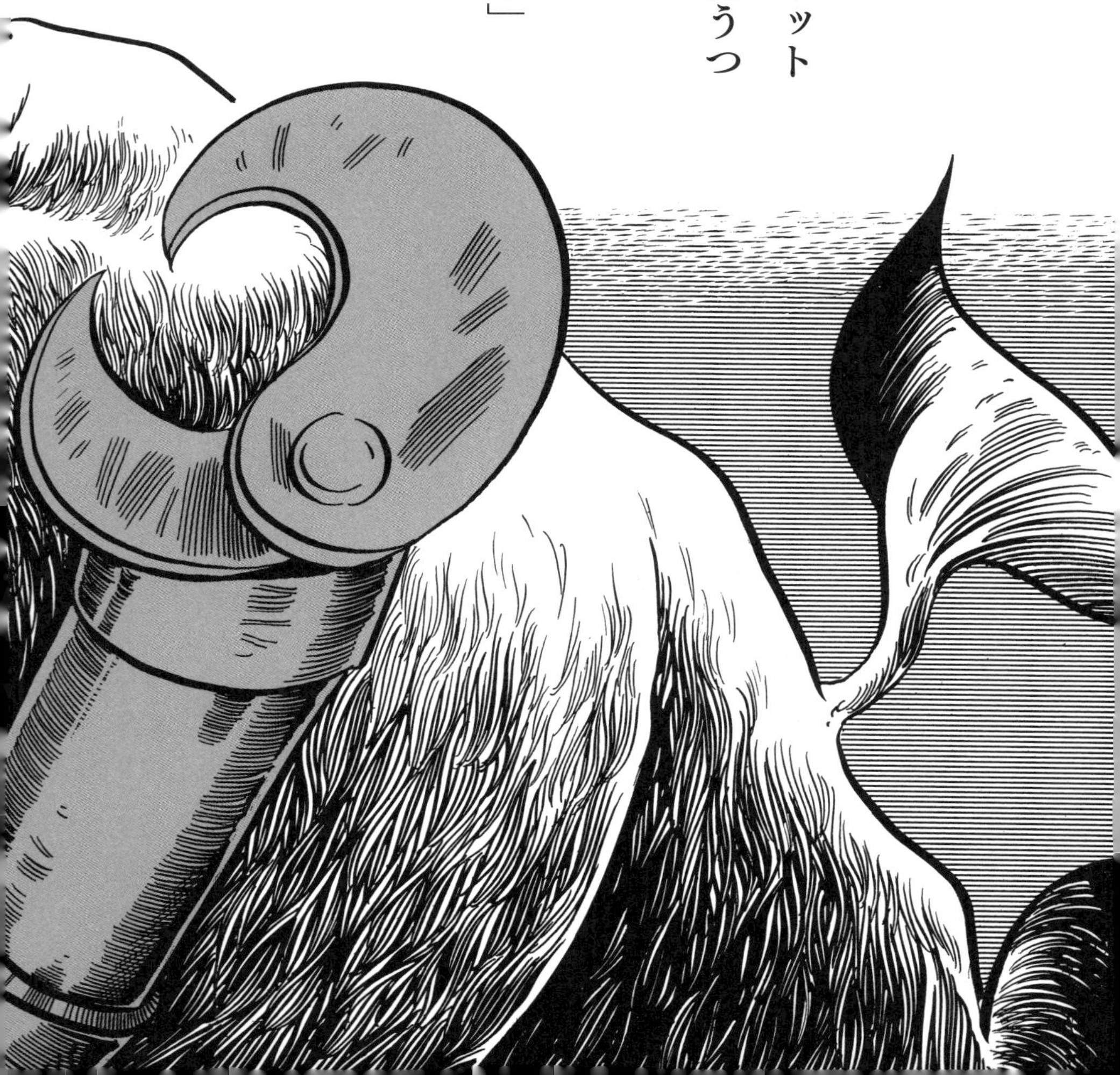

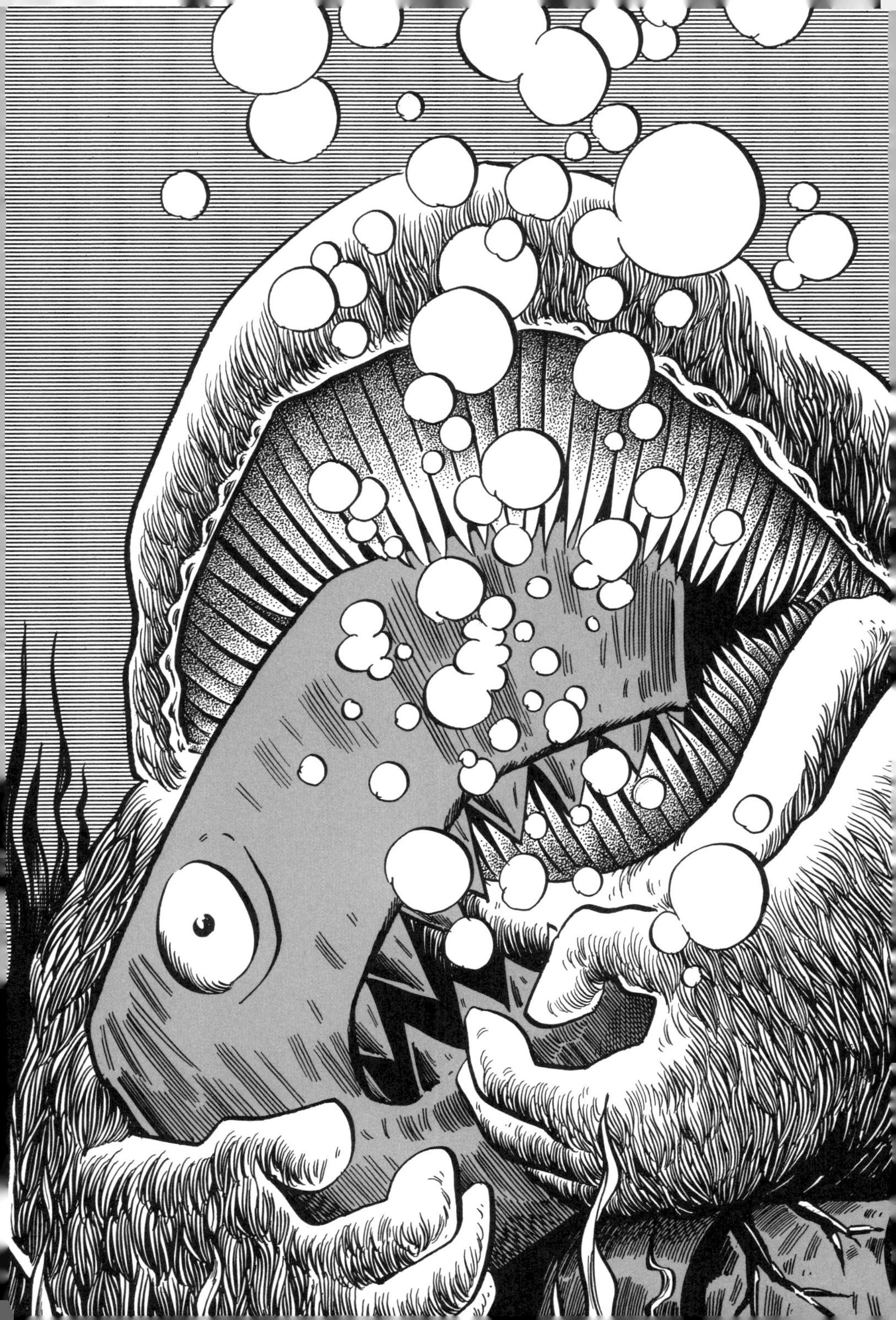

やがて、海上《かいじょう》に出《で》た大海獣《だいかいじゅう》の
手《て》には、山田《やまだ》少年《しょうねん》が、
のっていました。
「ああっ、に、にいさん！」
かけよる啓子《けいこ》。

「ああ……、おかあさんと啓子《けいこ》が、
原爆《げんばく》でやられる！　ぼくは、すべてを
うしなってしまう……。」
「にいさん、名声《めいせい》だけがすべてでは
ないわ。ノーベル賞《しょう》がなんですか！
くんしょうがなんですか！
世《よ》の中《なか》には、人《ひと》にしられないもので、
それいじょうにすぐれたものが
たくさんあります。」
涙《なみだ》をながす山田少年《やまだしょうねん》……。
だが、ときはすでにおそく、
原爆《げんばく》をつんだ飛行機《ひこうき》が、
上空《じょうくう》にあらわれていました！

「あぶないっ！」

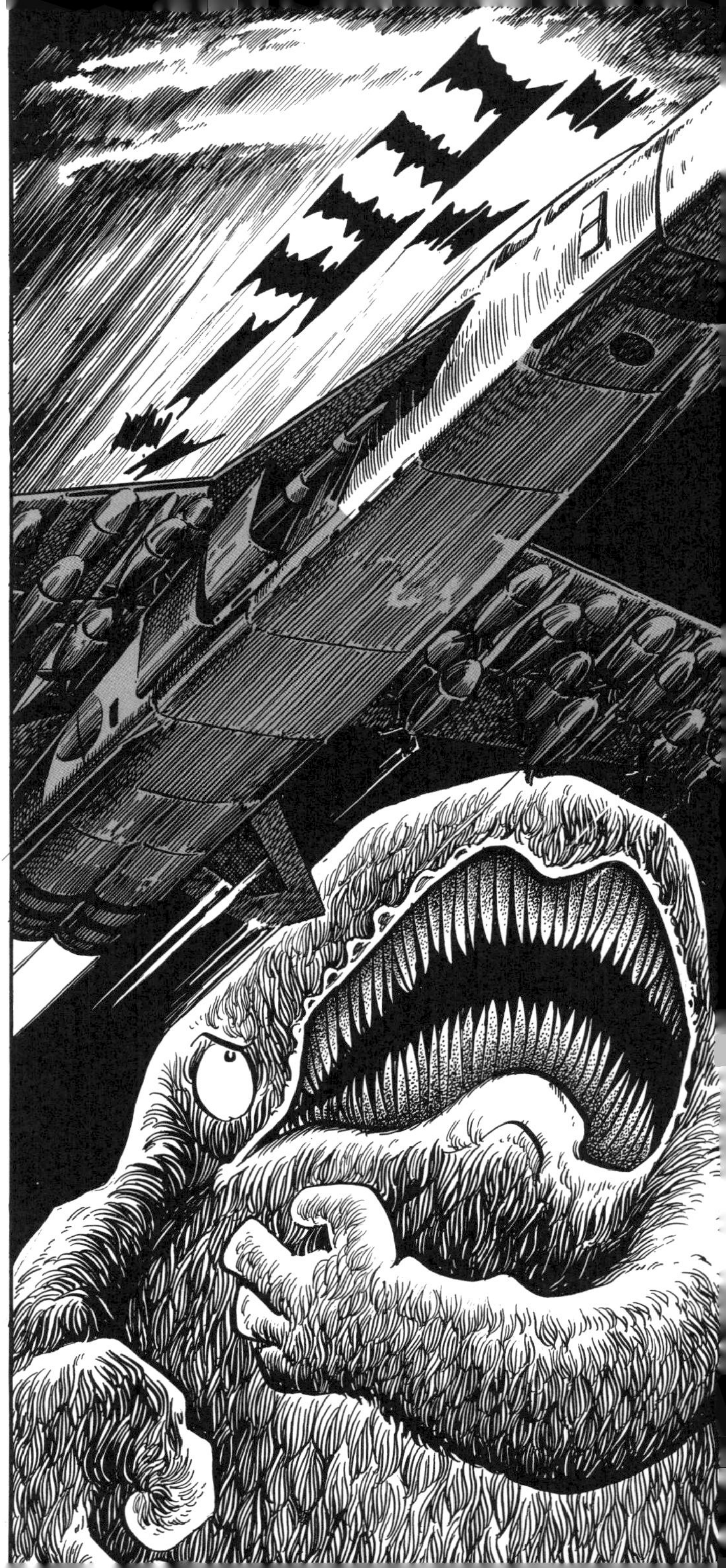

すさまじい光《ひかり》とともに、上空《じょうくう》に巨大《きょだい》なキノコ雲《ぐも》が立《た》ちのぼりました。
鬼太郎《きたろう》は、山田《やまだ》少年《しょうねん》とおかあさんと啓子《けいこ》をつれて、いっしゅんのうちに、海底《かいてい》のふかい穴《あな》の中《なか》に入《はい》って、原爆《げんばく》をさけました。

しかし、山田《やまだ》少年《しょうねん》たちは
呼吸《こきゅう》ができません。
しかたなく、鬼太郎《きたろう》は、かれらを
口《くち》の中《なか》に入《い》れて、放射能《ほうしゃのう》に
つつまれている海上《かいじょう》に
浮上《ふじょう》しました。

鬼太郎《きたろう》は強烈《きょうれつ》な放射能《ほうしゃのう》をあびましたが、口《くち》の中《なか》の三人《にん》はぶじでした。

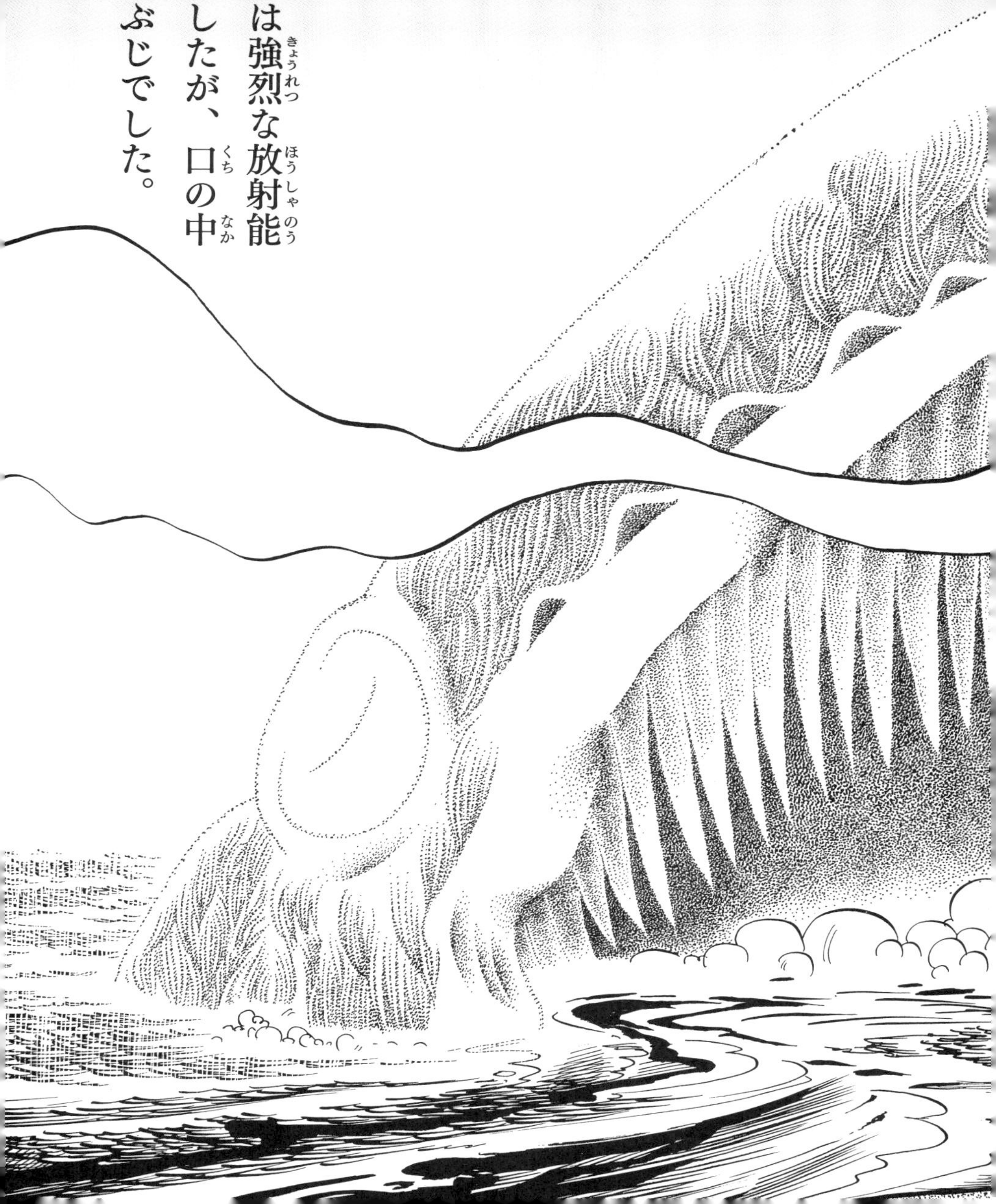

鬼太郎《きたろう》は、放射能《ほうしゃのう》の影響《えいきょう》を
うけていないはまべに、
三人《にん》を上陸《じょうりく》させてやりました。
「にいさんは、この心《こころ》の
やさしい鬼太郎《きたろう》さんを、
すくうことができないの
ですか？」
「秀一《しゅういち》、おまえはまだ
気《き》づかないのかい？
鬼太郎《きたろう》さんは、自分《じぶん》の
からだをぎせいにして、
わたしたちを
助《たす》けてくださったのだよ。」

「ぼくの考《かんが》えは、
まちがっていたのかな……。
ぼくは、いい大学《だいがく》をでて、
くんしょうをもらう人間《にんげん》がいちばん
えらいと思《おも》っていた。しかし、
よく考《かんが》えてみると、
そんな人間《にんげん》より、鬼太郎《きたろう》のほうが、
よほどりっぱなんだ。」
「にいさん、なんとかして
鬼太郎《きたろう》さんを助《たす》けてあげて！」
「うむ。」

山田少年《やまだしょうねん》は、あわてて東京《とうきょう》の研究室《けんきゅうしつ》にかえり、サラマンドラの毒《どく》や、大海獣《だいかいじゅう》の血《ち》の研究《けんきゅう》をはじめました。

「山田《やまだ》くん、こんどは大海獣《だいかいじゅう》をたすける研究《けんきゅう》を、しとるそうじゃないか。むだなことだ！　海岸《かいがん》によこたわっている大海獣《だいかいじゅう》は、放射能《ほうしゃのう》の害《がい》があるので、自衛隊《じえいたい》が太平洋《たいへいよう》でしょぶんするのだ。」

「しかし、大海獣《だいかいじゅう》については、まだまだ研究《けんきゅう》したいこともあります。」

山田少年《やまだしょうねん》はひっしで、博士《はかせ》にうったえます。

山田少年《やまだしょうねん》は防衛庁《ぼうえいちょう》にもいって、大海獣《だいかいじゅう》のしょぶんをやめさせようとしましたが、もう政府《せいふ》の命令《めいれい》がくだっていて、手《て》のうちようがありません。

あわてて港《みなと》へむかいましたが、すでに鬼太郎《きたろう》は、自衛艦《じえいかん》によって、伊豆沖《いずおき》から太平洋《たいへいよう》にはこばれていました。

それからまもなく、山田少年《やまだしょうねん》の努力《どりょく》の
かいなく、鬼太郎《きたろう》は自衛艦《じえいかん》のすさまじい
砲撃《ほうげき》によって、しょぶんされてしまいました。

「ああ、鬼太郎《きたろう》のさいごか。
ぼくがサラマンドラの
こなで霊力《れいりき》をふうじたのが
わるかったのだ。
今《いま》となっては、
この解毒剤《げどくざい》も役《やく》に立《た》たなく
なってしまった。」
山田少年《やまだしょうねん》は、なすすべも
なく、血《ち》の海《うみ》に解毒剤《げどくざい》を
ばらまきました。

すると、水平線《すいへいせん》のかなたから、なにやら黒《くろ》い集団《しゅうだん》が……。

「カラスだ！」

先頭《せんとう》には鬼太郎《きたろう》の父《ちち》、うしろにはねずみ男《おとこ》がひかえていました。

そして、いさましいゲゲゲの歌《うた》をくちずさんでいたねずみ男《おとこ》は、カラスヘリコプターから、ひょいとおりると、きもののスソをひろげて、パラシュートのように自衛艦《じえいかん》におりました。

ふわふわふわ

どうやら、山田少年《やまだしょうねん》のすてた解毒剤《げどくざい》が海水《かいすい》にとけ、鬼太郎《きたろう》のきず口《ぐち》から体内《たいない》に入《はい》ったようです。

それによって、鬼太郎《きたろう》のおそるべき霊力《れいりき》が復活《ふっかつ》し、その力《ちから》にみちびかれて、父親《ちちおや》とねずみ男《おとこ》がやってきたのでした。

「山田《やまだ》、てめえ、ニューギニアで、なにやったんだ。鬼太郎《きたろう》が霊波《れいは》にのせて、危機《きき》をしらせてきたんだ。」

「すみません。すべて、ぼくがわるいのです。」

ビビビビビビビビッ
ドヨッ

鬼太郎《きたろう》の父《ちち》は、これまでの
事情《じじょう》を、学術会議《がくじゅつかいぎ》の議長《ぎちょう》に
せつめいしました。
自衛隊《じえいたい》はあわてて、潜水艦《せんすいかん》
やらなにやらで、鬼太郎《きたろう》を
無人島《むじんとう》にはこびあげました。

山田少年《やまだしょうねん》は、なんとかして
鬼太郎《きたろう》を助《たす》けようと、
テントの中《なか》で研究《けんきゅう》を
つづけました。
それは、大海獣《だいかいじゅう》の血《ち》を
ぜんぶぬきとって、
鬼太郎《きたろう》の血《ち》だけを、
ふたたび大海獣《だいかいじゅう》に注射《ちゅうしゃ》するという
たいへんな研究《けんきゅう》でした。

やがて鬼太郎《きたろう》は、大海獣《だいかいじゅう》に変身《へんしん》したのと同《おな》じ道《みち》を、ぎゃくにたどって、もとにかえりました。

「あとは、放射能《ほうしゃのう》の毒《どく》を、消《け》せばよいのです。」

「鬼太郎《きたろう》は、もとにもどりさえすれば、強《つよ》い体力《たいりょく》で放射能《ほうしゃのう》の毒《どく》を小便《しょうべん》にしてながしてしまうのです。」

みんなは、カラスヘリコプターにのって、
東京《とうきょう》にむかいました。
「こんなわずかなカラスで、とべるのかなあ。」
なんでも科学的《かがくてき》に考《かんが》える山田少年《やまだしょうねん》は、
ふしぎでなりません。
「まだわからんのかね？　鬼太郎《きたろう》には、
われわれには理解《りかい》できない力《ちから》があるのだ。」

「鬼太郎《きたろう》さん、秀一《しゅういち》がとんでもないことをして、ほんとうにすみませんでした。」

「いえ、なあに……。」

「鬼太郎《きたろう》くん、ぼくがわるかった。科学《かがく》を、自分《じぶん》の利益《りえき》のためにだけ、つかおうとしたのが、いけなかった……。」

「山田《やまだ》くん、その気《き》もちをわすれないで、がんばってくれ。」

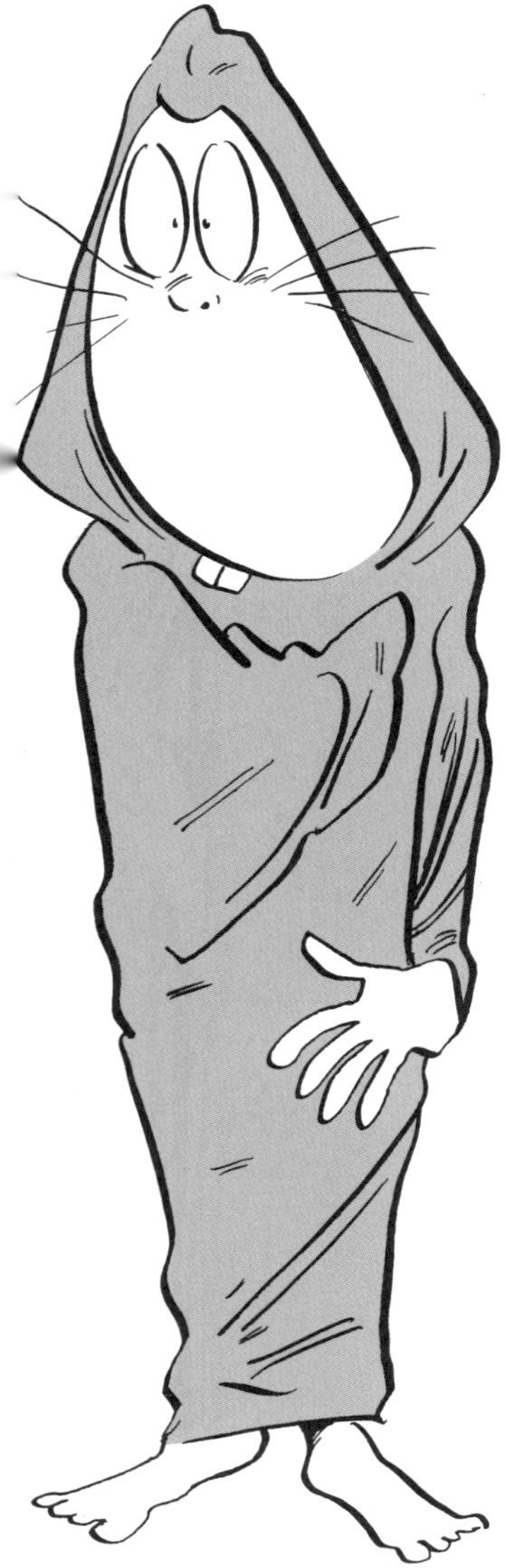

質や

鬼太郎《きたろう》の家《いえ》のまわりでは、
鬼太郎《きたろう》のかつやくと、ぶじを
たたえるゲゲゲの歌《うた》が、
一晩《ばん》じゅう、
ひびいていました。

水木しげる

1922年、鳥取県境港市出身。同市の高等小学校を出て大阪にゆき、いろいろな職業につきながら、いろいろな学校を出たり入ったりする。戦争で左腕を失う。著書には『ゲゲゲの鬼太郎』『悪魔くん』『河童の三平』『日本妖怪大全』などがある。

※本書は、1983年にポプラ社より刊行された『水木しげるのおばけ学校⑫　ラジコン大海獣』を再編集したものです。再編集にあたって、一部、現代の社会通念や人権意識からは不適切と思われる表現を修正しております。

ラジコン大海獣

新装版　水木しげるのおばけ学校⑫

2024年9月　第1刷

著　者　水木しげる

発行者　加藤裕樹

発行所　株式会社 ポプラ社

〒141-8210 東京都品川区西五反田3-5-8
JR目黒MARCビル12階
ホームページ　www.poplar.co.jp

印刷・製本　中央精版印刷株式会社

デザイン　野条友史（buku）

ロゴデザイン協力　BALCOLONY.

落丁・乱丁本はお取り替えいたします。ホームページ（www.poplar.co.jp）のお問い合わせ一覧よりご連絡ください。

N.D.C.913 ／ 111P ／ 22cm ISBN 978-4-591-18277-2
P4184012